글 · 그림 | 데비 글리오리
호평을 받은 《곰 아저씨》 시리즈를 비롯해 많은 어린이 책을 쓰고 그린 동화 작가이자 일러스트레이터입니다.
1997년에 '케이트 그린어웨이 상'에 노미네이트되었고, '영국 아동도서연맹 어린이 도서상'을 받았습니다.
1999년에 발표한 《잠들기 전에 행복한 이야기를 들려주세요》는 세계적인 베스트셀러가 되었습니다.
지금은 두 딸과 함께 에든버러 근처에서 살고 있습니다.

옮김 | 서애경
한국외국어대학교 스페인어학과를 졸업했습니다. 출판사에서 어린이 책 기획과 번역에 힘쓰고 있으며,
이 다음에 어린이 책을 내는 작은 출판사를 차리는 꿈을 가지고 있습니다.
옮긴 책으로는 《스팟, 이제 잘 시간이야》《해럴드와 크리스마스》《피튜니아, 공부를 시작하다》 등
여러 권이 있습니다.

엄마는 너를 사랑해

글 · 그림 데비 글리오리 / 옮긴이 서애경 / 펴낸이 임종원 / 펴낸곳 킨더랜드
등록 제 03-1114호 / 주소 경기도 파주시 교하읍 문발리 509-3 [파주출판단지]
전화 031) 955-4961 / 팩스 031) 955-4960

데비 글리오리 글·그림 | 서애경 옮김

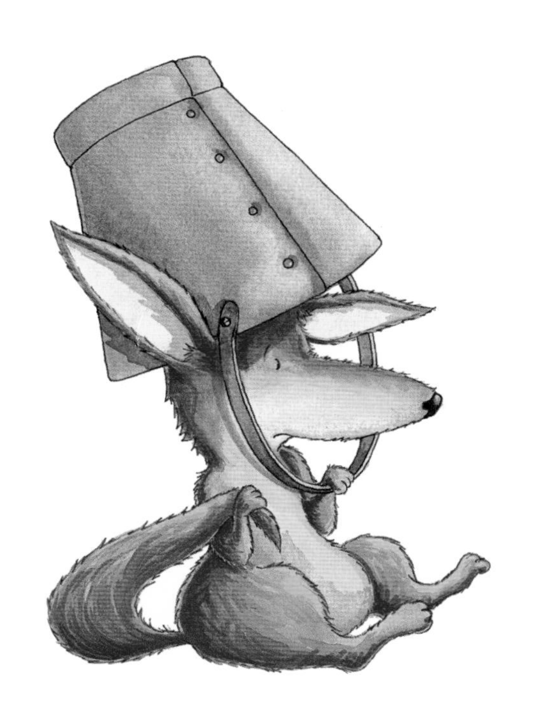

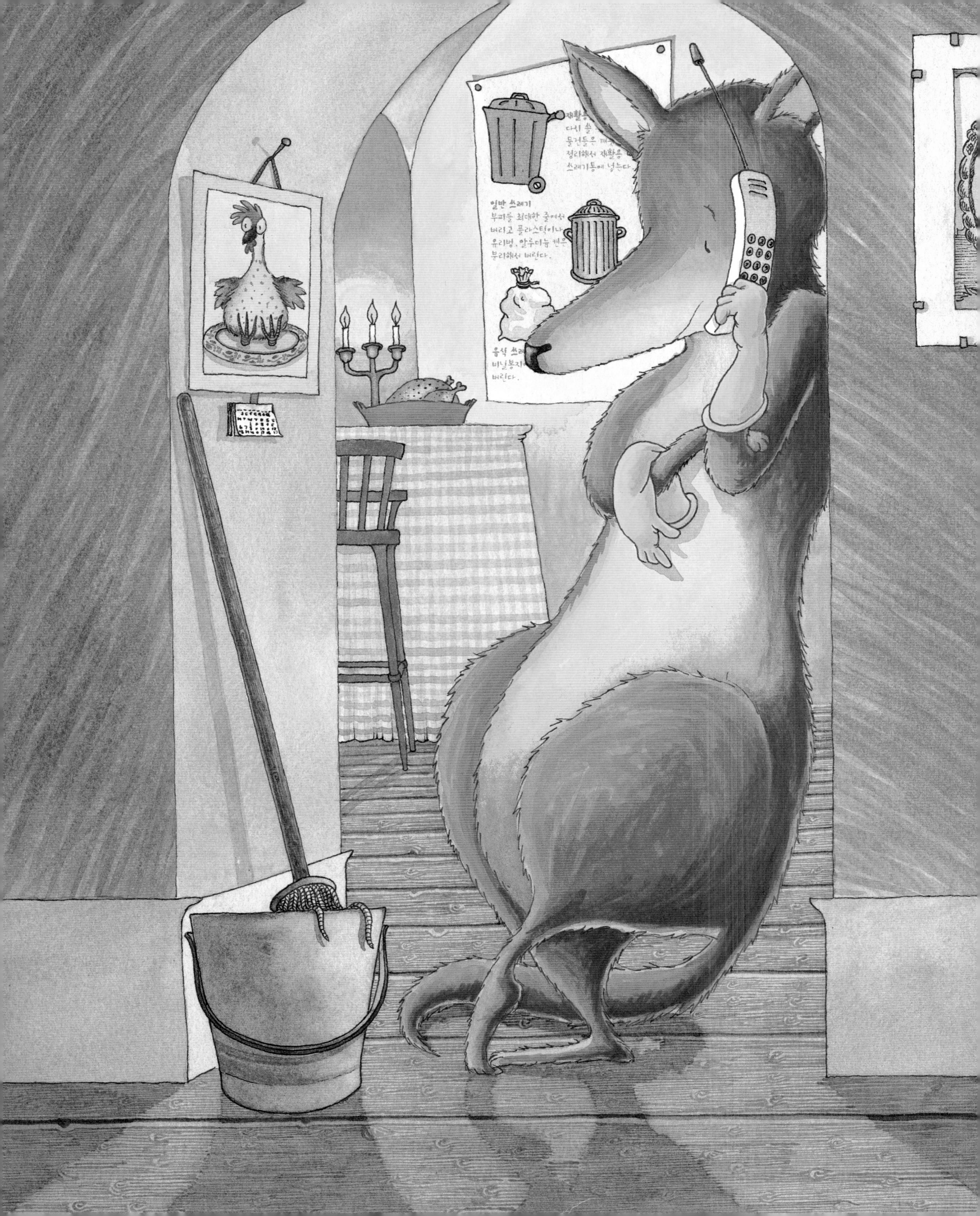
다시 쓸
물건들은
정리해서 재활용
쓰레기통에 넣는다.
일반 쓰레기
부피를 최대한 줄여서
버리고 플라스틱이나
유리병, 알루미늄 캔은
분리해서 버린다.
버린다.

아기가 심술이 났어요.

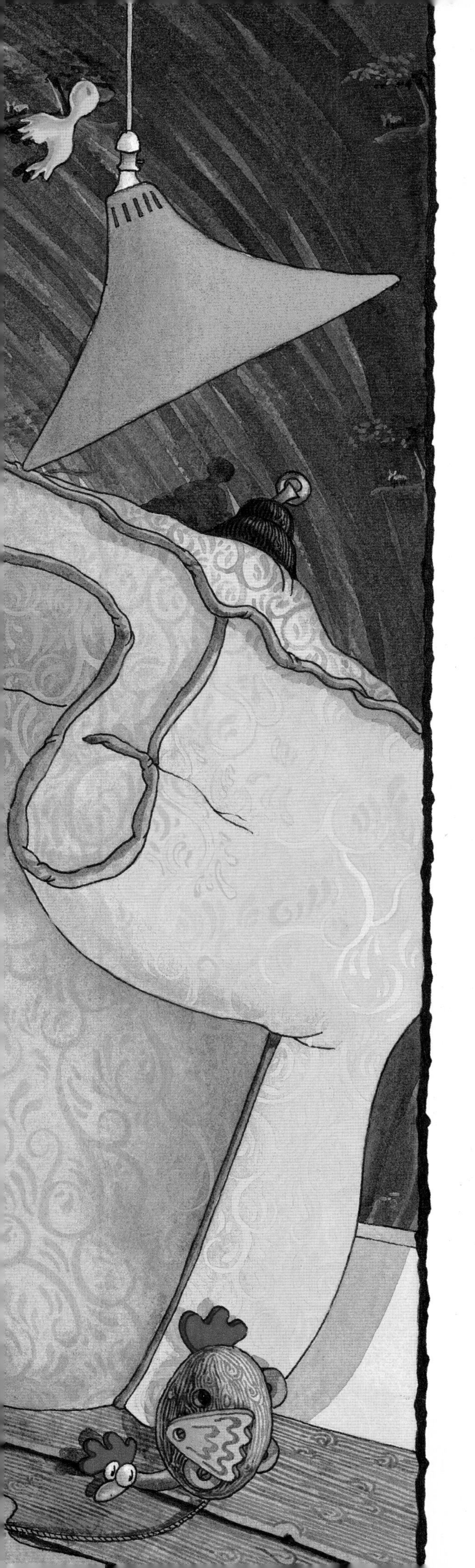

엄마가 아기에게 말했어요.

"우리 아기, 무슨 일 있니?"

아기가 말했어요.

"난 엄마가 미워. 엄만 나 사랑하지 않지?"

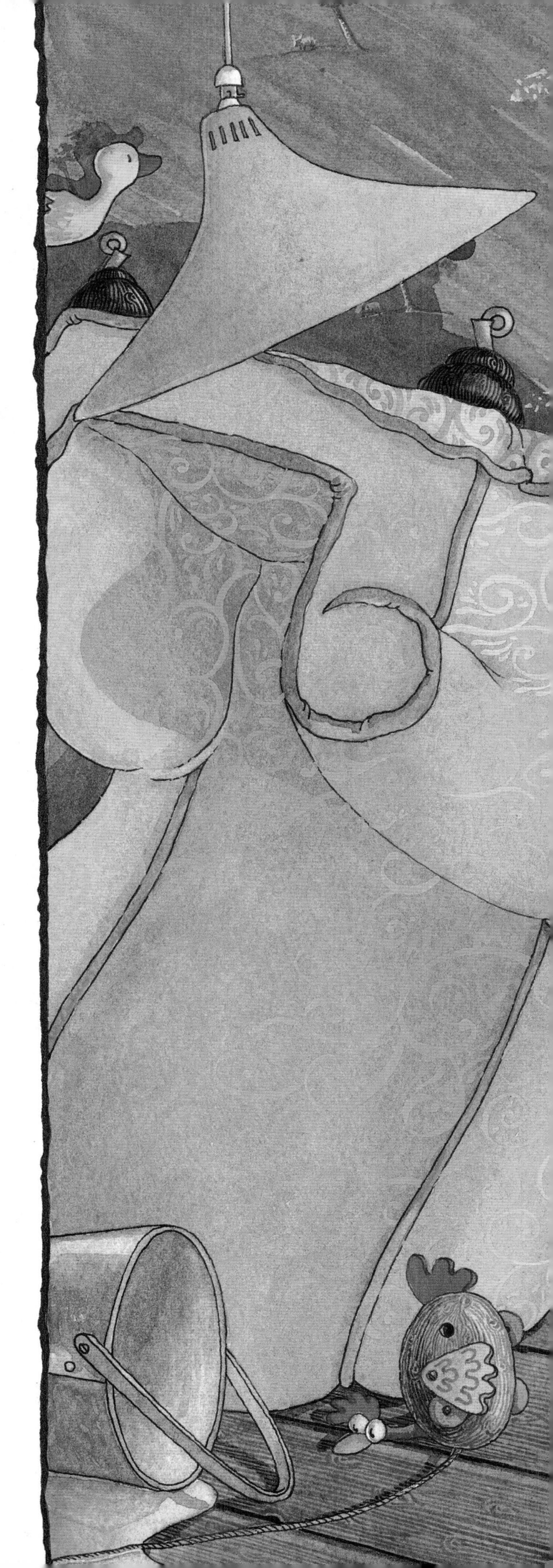

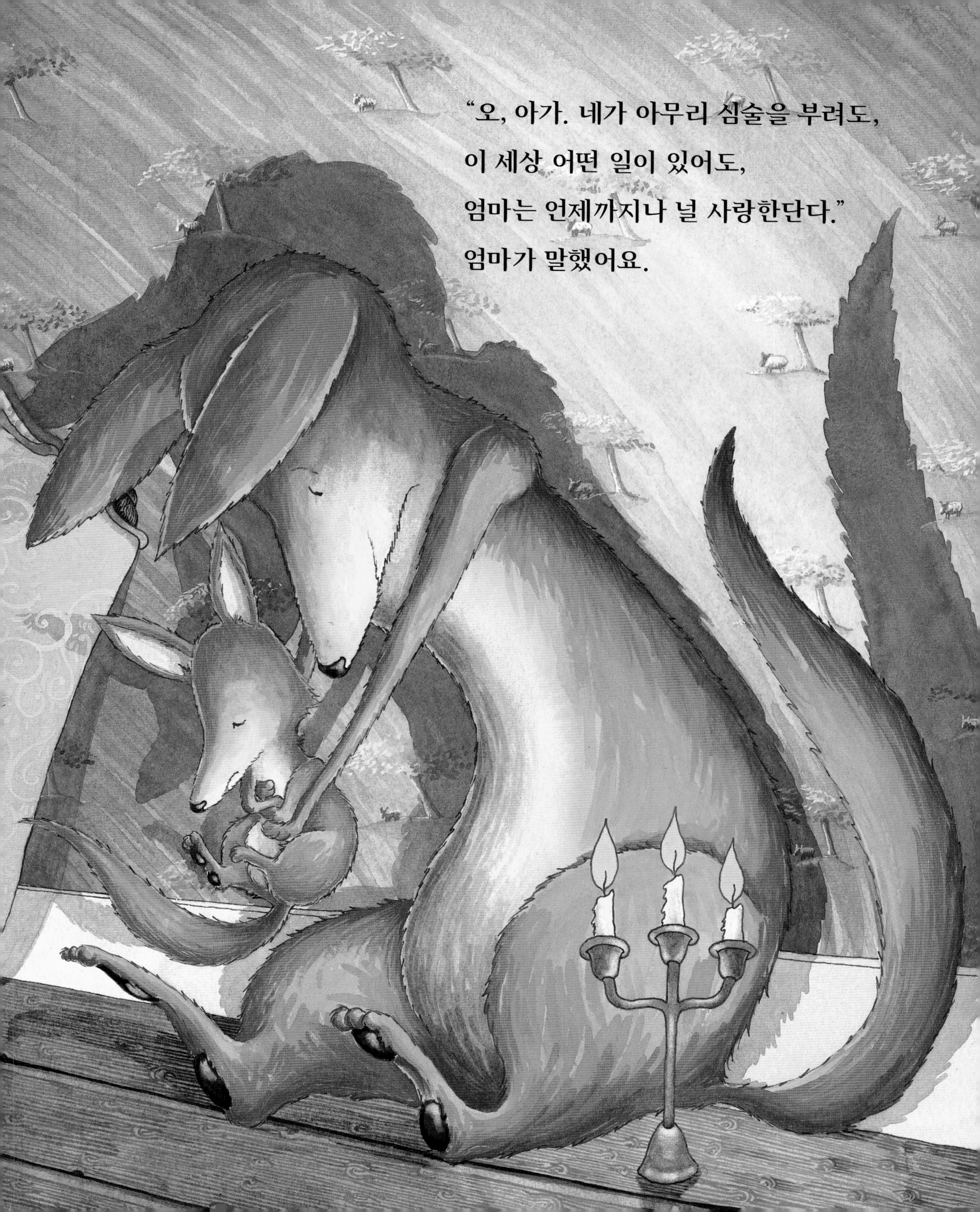

“오, 아가. 네가 아무리 심술을 부려도,
이 세상 어떤 일이 있어도,
엄마는 언제까지나 널 사랑한단다.”
엄마가 말했어요.

"내가 심술궂은 곰이 되어도,
엄마는 날 사랑해 줄 거예요?
날 돌봐 줄 거예요?"

"그럼, 그렇고말고. 네가 곰이 되든
뭐가 되든, 이 세상 어떤 일이 있어도,
엄마는 언제까지나 널 사랑한단다."
엄마가 말했어요.

“내가 꼬물꼬물 벌레가 되어도,

엄마는 날 사랑해 줄 거예요? 날 안아 줄 거예요?”

엄마가 말했어요.

“네가 벌레가 되든 뭐가 되든,

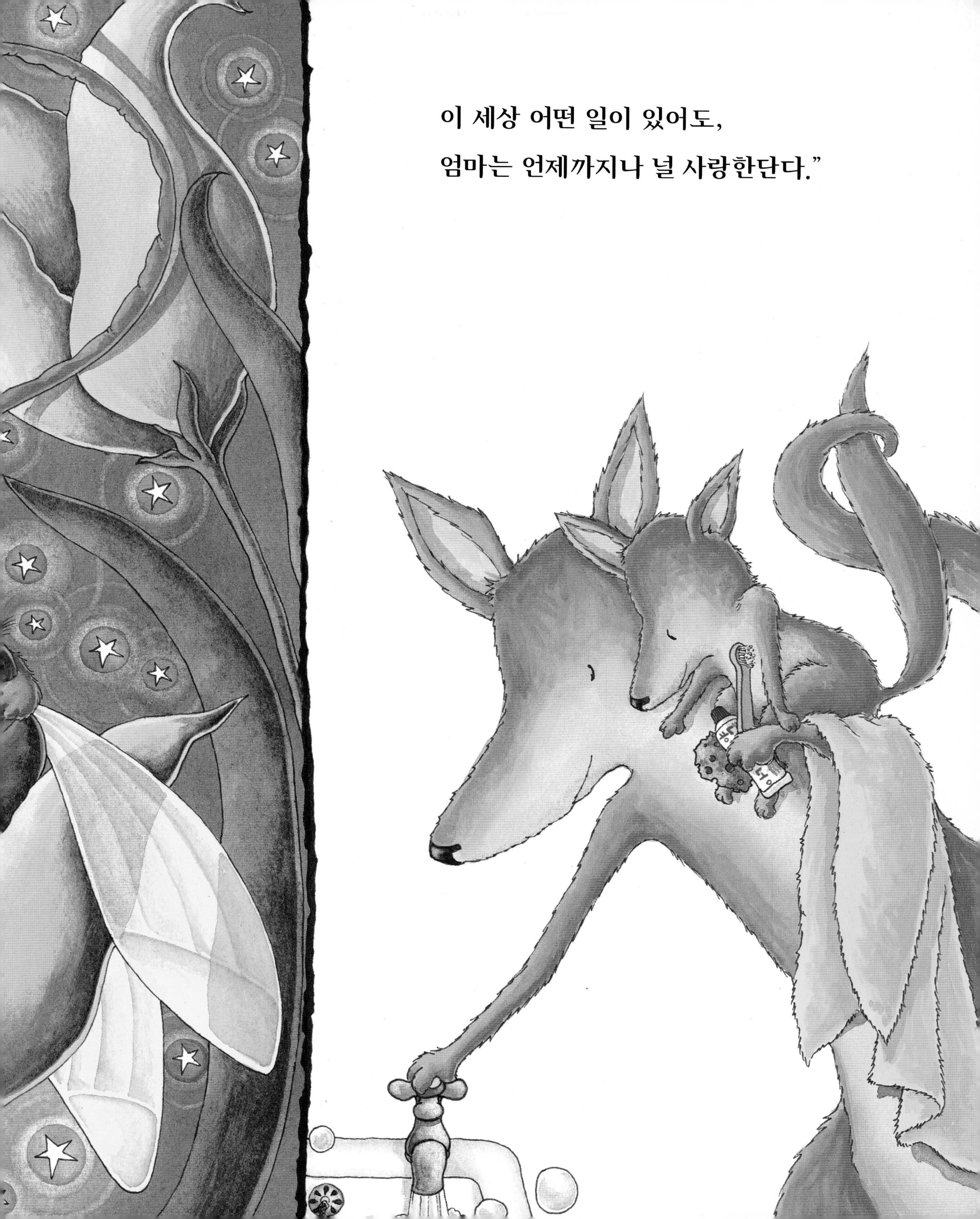

이 세상 어떤 일이 있어도,

엄마는 언제까지나 널 사랑한단다."

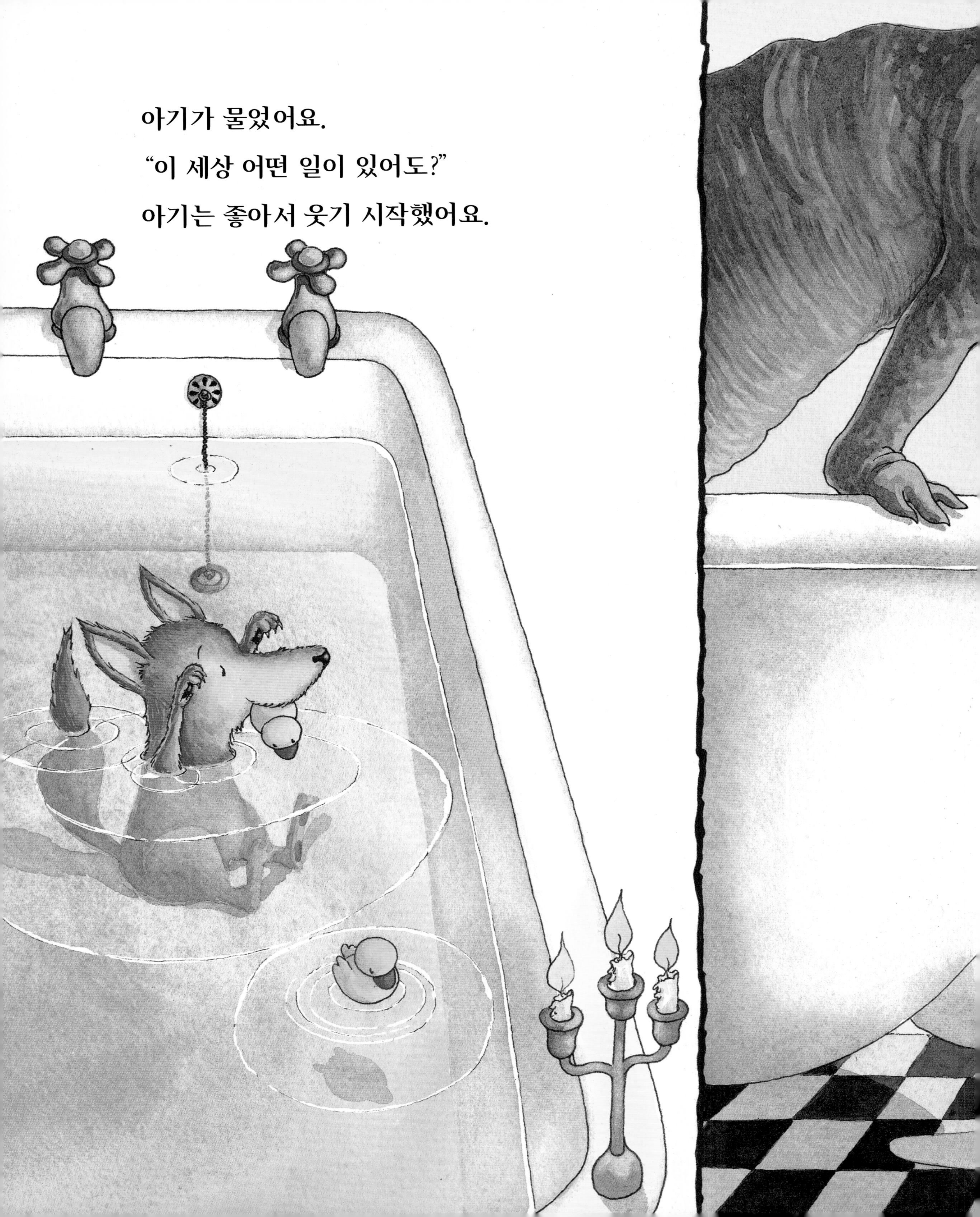

아기가 물었어요.

"이 세상 어떤 일이 있어도?"

아기는 좋아서 웃기 시작했어요.

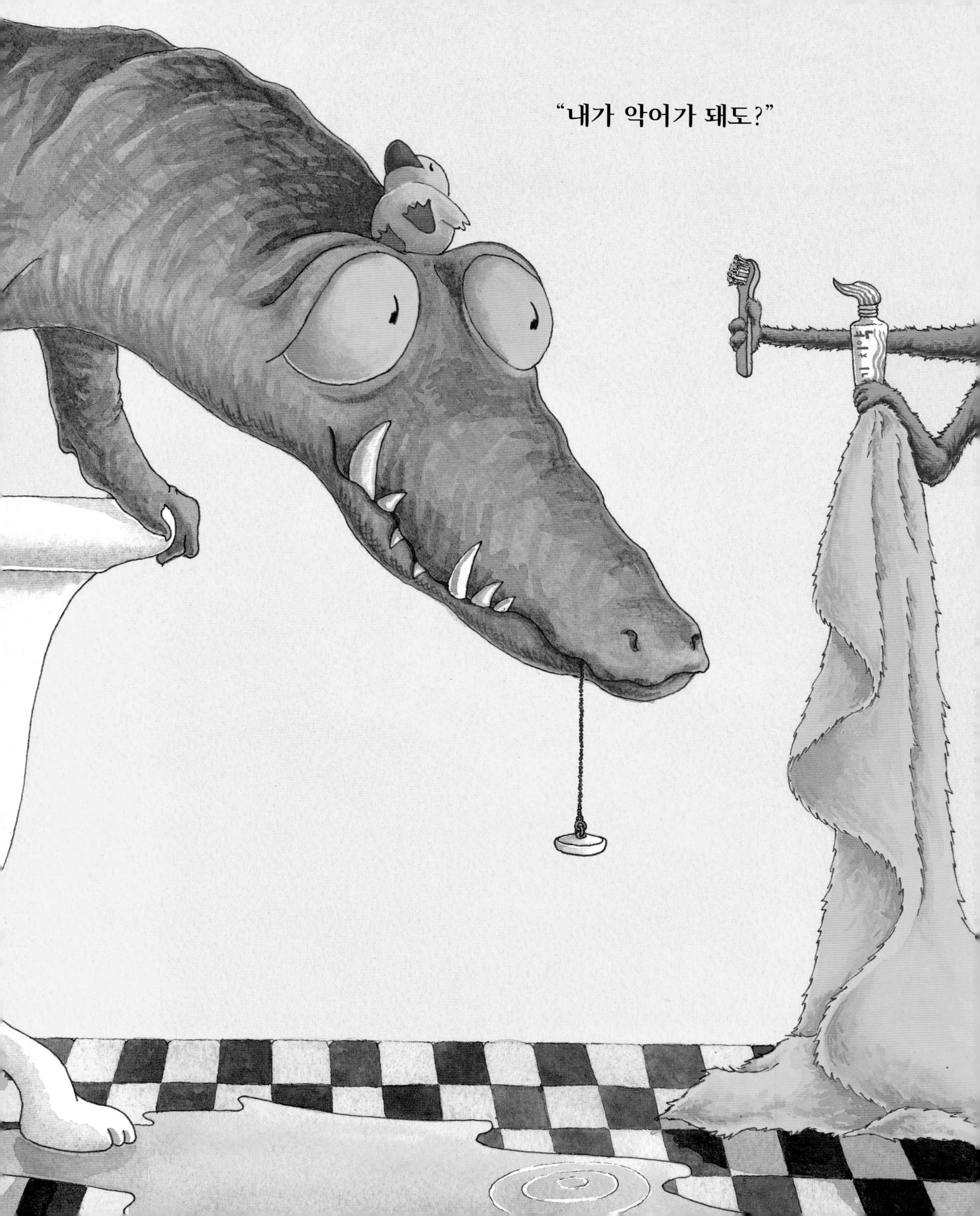

“내가 악어가 돼도?”

"그래도 엄마는 너에게 뽀뽀를 해 주고,
밤마다 침대에서 널 꼭 껴안아 줄 거야."

"하지만 사랑이 닳아져 버리면 어떡해요?
망가지면 어떡해요? 깨지면 어떡해요?
엄마가 다시 고쳐 줄 수 있어요?
엄마가 새로 만들어 줄 수 있어요?"

"오래오래 둘이 같이 웃고 뽀뽀하면,
사랑도 이 장난감처럼 고칠 수 있단다."

"하지만 엄마가 멀리 가 버리면 어떡해요?
사랑도 멀리 가 버리나요, 아님 여기 남아 있나요?"
아기 오리 이야기

"아가, 저 별들 좀 보렴.
별들은 멀리, 아주 멀리 있어.
하지만 저 별빛은 저녁마다 다시 와서
우리를 비춰 준단다."

"사랑도 저 별빛하고 똑같아.
우리가 가까이 있든 멀리 있든,
이 세상 어디에 있든,
언제까지나 우리를 감싸고 있단다."

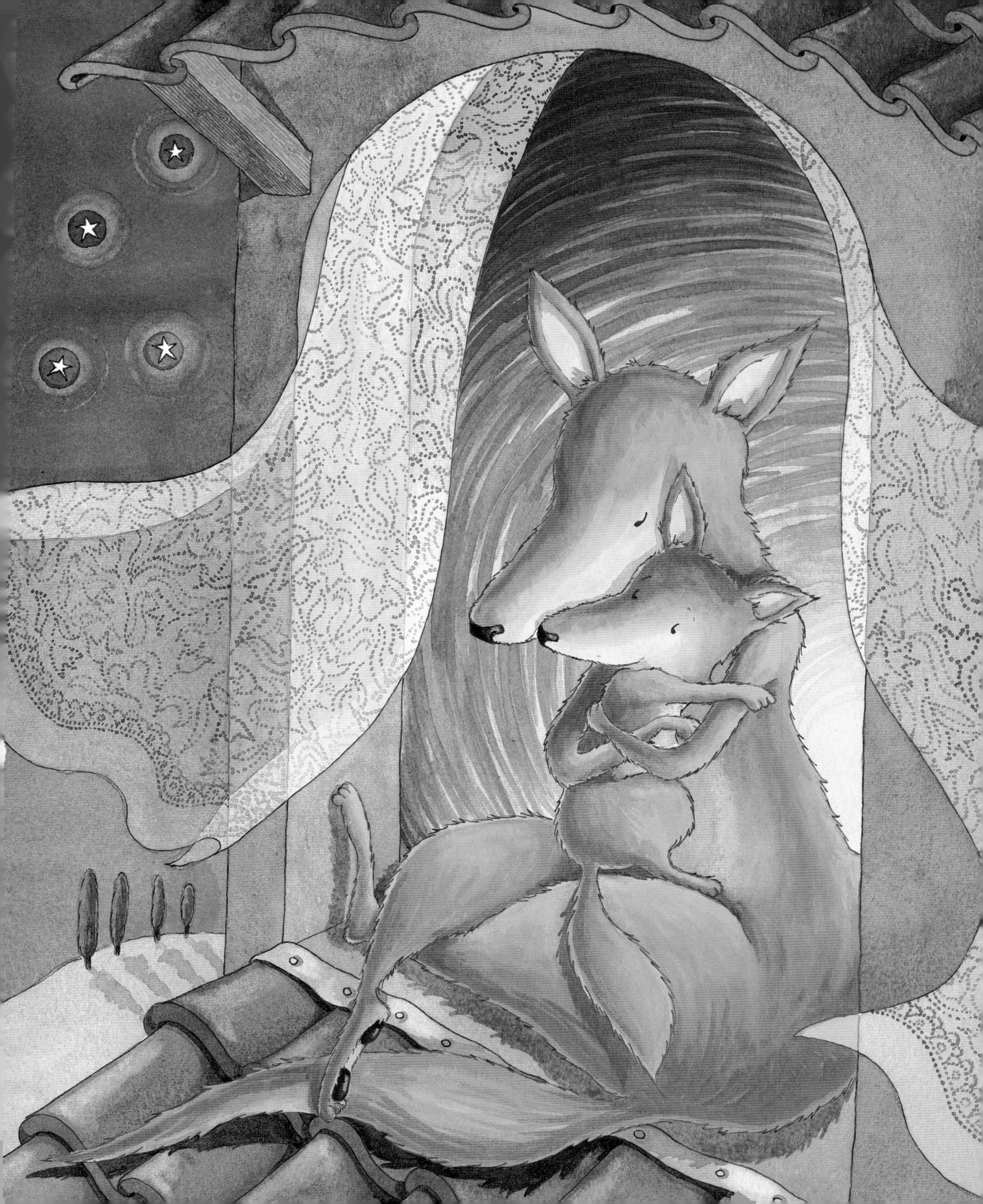